TABUCCHI

La Gastrite de Platon

Traduction de l'italien et avant-propos de
Bernard Comment

Illustrations de
Serge Kantorowicz

ÉDITIONS MILLE ET UNE NUITS

TABUCCHI
n° 177

Texte intégral
Titre original
La Gastrite di Platone

ISBN : 2-84205-162-9

Sommaire

TABUCCHI

La Gastrite de Platon

Avant-propos

À la sortie de *Pereira prétend*, en 1994, la critique italienne salua le retour d'Antonio Tabucchi à une veine plus politique telle qu'elle était, à ses yeux, présente dans ses premiers livres, en particulier *Piazza d'Italia*. C'était oublier que la préoccupation politique a toujours habité l'œuvre de Tabucchi, de façon plus ou moins sous-jacente, relative tantôt au fascisme italien et aux fantômes de la Seconde Guerre mondiale, tantôt au salazarisme qui étouffa si longtemps le Portugal. Mais il est vrai que *Pereira prétend*, par sa dénonciation explicite de la censure et de la sanglante répression sous le régime dictatorial de Salazar, et par sa puissance métaphorique qui en a fait, pendant quelques mois, l'emblème de la résistance au « berlusconisme » alors au pouvoir en Italie, marquait une inflexion nouvelle. Le succès de ce livre prit alors une ampleur inattendue et favorisa la découverte de cet auteur subtil et énigmatique par un large public.

Récemment, *La Tête perdue de Damasceno*

Monteiro a confirmé, sur un ton plus métaphysique peut-être, l'aspect dénonciateur ou du moins interrogateur dorénavant adopté par Tabucchi, cette fois à propos d'un atroce fait divers imputable à la Guarda Nacional du Portugal (mais valant là aussi, à titre métaphorique, pour d'autres exactions commises dans les commissariats ou les prisons de notre Europe dite civilisée).

Parallèlement, on a pu observer depuis deux ou trois ans une présence renforcée d'Antonio Tabucchi dans les débats d'actualité, sur un ton parfois vif et polémique. Intervenant dans divers quotidiens de la péninsule, comme le *Corriere della Sera* ou *L'Unità*, il s'en est pris par exemple à Silvio Berlusconi lorsque celui-ci déclara que les sondages à la sortie des urnes valaient plus que les résultats du dépouillement.

Au printemps 1997, Antonio Tabucchi réagissait vivement à deux articles d'Alberto Arbasino, un chroniqueur romain écrivant dans le quotidien *La Repubblica*, auteur, par ailleurs, de quelques livres dont un sur Paris, et où celui-ci attaquait les intellectuels français ayant manifesté contre l'obligation de dénoncer les sans-papiers, puis ceux d'Italie qui prenaient la défense des réfugiés albanais, reprochant aux uns et aux autres de se contenter de discours inefficaces, et de ne pas allier l'acte à la parole en hébergeant par exemple tout ce pauvre monde dans leurs belles maisons secondaires. Tabucchi stigmatisait alors la confusion des genres impliquée par ces attaques fleurant bon le poujadisme (lequel opère toujours au nom d'une suprématie de la praxis face au discours), et esquissait une première défense du principe d'intervention propre à l'intellectuel.

Le premier des textes (paru dans la revue italienne *Micromega* en juin 1997) qui composent le présent volume voit Antonio Tabucchi réagir longuement à une des chroniques qu'Umberto Eco livre chaque semaine à l'hebdomadaire *L'Espresso*. C'est une nouvelle fois la question de l'intellectuel, de sa parole, de son droit ou devoir d'intervention, dont il est question, puisque Eco, au gré d'arguments rappelés par Tabucchi dans son texte, en vient à conseiller aux intellectuels de s'occuper de leurs affaires et de ne pas intervenir sur les problèmes de l'actualité ni sur les questions éthiques que celle-ci peut soulever. L'abstention, en quelque sorte.

Le réponse de Tabucchi opère à un niveau élevé de réflexion, avec de nombreuses références théoriques, philosophiques. Mais l'auteur de *Pereira prétend* sait y garder la spécificité de sa parole, celle d'un écrivain. Cela lui confère une efficacité qui lui est propre, et qui dépasse le débat immédiat pour aborder de graves questions sans les refermer aussitôt sur de trop rapides certitudes.

Tout au long de ce premier texte, ainsi que dans une seconde lettre rédigée spécialement pour l'édition française, Antonio Tabucchi a choisi de s'adresser à Adriano Sofri. Ancien leader des mouvements « *Potere operaio* » puis « *Lotta continua* », celui-ci a été condamné au début de l'année 1997 à vingt-deux ans de prison, ainsi que ses deux ex-camarades Ovidio Bompressi et Giorgio Pietrostefani, pour avoir été les présumés commanditaires de l'assassinat du commissaire Calabresi, en mai 1972 à Milan. Cette condamnation, sans plus d'autre appel en justice possible que le recours à la grâce présidentielle auquel tous trois se refusent, a été prononcée après de nombreuses sentences contradictoires qui voyaient les accusés tantôt absous, tantôt condamnés.

L'affaire a fait couler beaucoup d'encre, et l'historien Carlo Ginzburg y a consacré un livre entier [1] pour constater plusieurs incohérences dans les divers procès et dénoncer l'incroyable disparition d'éléments pourtant aussi fondamentaux que les vêtements du commissaire, la balle meurtrière ou encore l'automobile utilisée pour le meurtre. Surtout, l'accusation portée contre Bompressi, Pietrostefani et Sofri n'est intervenue qu'en 1988, lorsqu'un des exécutants de l'assassinat, Leonardo Marino, fut pris d'un brusque et surprenant repentir qui déclencha toute la procédure. La valeur de ce repentir, seize ans après (qui, en vertu de la loi sur les *pentiti*, valait quitus à son auteur pour le crime commis), ainsi que le manque de la moindre preuve matérielle, ont jeté l'ombre d'un fort doute sur cette opération de justice. Un comité de soutien, composé notamment de Maurice Blanchot, Cornelius Castoriadis, Jacques Derrida, Maurice Nadeau et Jacqueline Risset, a été institué pour veiller à ce que le destin de ces trois « prisonniers politiques » ne soit pas oublié.

BERNARD COMMENT

---

1. *Le Juge et l'historien : considérations en marge du procès Sofri*, Éditions Verdier, 1997.

La Gastrite de Platon

Cher Adriano Sofri,

L'idée de cette lettre ouverte m'est venue après avoir lu un article d'Umberto Eco paru dans sa rubrique hebdomadaire « *La Bustina di Minerva*[1] » (*L'Espresso*, 24 avril 1997) sous le titre : « Le premier devoir des intellectuels : rester silencieux quand ils ne servent à rien ». La thèse avancée par Eco, que nous considérons évidemment tous comme un intellectuel doté d'une excellente culture, se présente selon les canons de la géométrie et, dans son agencement abstrait, ne se réfère à aucune situation précise du moment historique que nous sommes tous en train de vivre (en dehors des pierres que des jeunes gens jettent depuis les passerelles d'autoroutes), mais elle se prévaut d'exemples métaphoriques qui

1. Littéralement, la pochette d'allumettes (*bustina*) de la marque italienne Minerva. Mais Minerve est aussi la déesse de la Sagesse. Le titre de la chronique d'Umberto Eco joue donc sur cette ambiguïté (N.d.T.).

pourraient y être appliqués. J'ai réfléchi et je suis encore en train de réfléchir à cet article. Or j'aimerais connaître ton opinion sur ce thème, du fait que je te tiens pour un intellectuel doté d'une grande lucidité d'analyse, et que, surtout, j'apprécie ta liberté intellectuelle (le mot liberté, à toi adressé, sonne malheureusement comme une raillerie), sans préjugés quand c'est nécessaire, mais jamais arrogante ni axiomatique ; et ce jugement qui se méfie du conformisme, dans un pays comme le nôtre où le conformisme est un fait ancien, je le trouve porteur de « nouveauté ». Enfin, je te considère comme un intellectuel créatif : d'une part en vertu de la dialectique de ta pensée, qui comme toute dialectique est créative, en tant qu'elle produit un troisième élément nouveau ; d'autre part, en raison de la situation que tu es en train de vivre, laquelle est (bien malgré toi, aussi je te prie de m'excuser et de ne pas me considérer comme cynique) porteuse d'une « nouveauté » culturelle, peut-être alarmante, que j'ai décidé de saisir aussitôt au vol. C'est pour toutes ces raisons que je m'adresse à toi et que je te propose un dialogue par le biais des publications auxquelles nous avons accès chacun de notre côté.

En outre, ton point de vue m'intéresse. J'emploie le terme « point de vue » d'une façon peut-être viciée par mon propre point de vue :

c'est-à-dire le point de vue de quelqu'un qui, ayant désormais écrit beaucoup de romans, a pratiqué avec ses personnages les points de vue les plus disparates, arrivant à la conviction que le point de vue a non seulement une importance considérable dans la narration, mais qu'il est aussi une donnée fondamentale dans la vie. Comme le faisait déjà observer l'antique poète espagnol, « *una cosa piensa el bayo y otra quien lo ensilla* », autrement dit, le cheval pense une chose et celui qui le monte une autre.

Je n'ai jamais été très doué pour le dessin géométrique. C'est pourquoi j'admirais, au temps du lycée, mon voisin de banc qui réussissait sans problème à transformer rapidement un solide, fût-ce un dodécaèdre, en une figure plane étendue sur la page du cahier et commodément lisible d'un point de vue unique : celui qui regarde de face. Je me rendais compte que cette figure sur le cahier était la conquête de la pureté, de la quintessence, c'était la sérénité olympienne acquise par le dodécaèdre qui perdait ainsi l'inquiétant caractère volumineux par lequel il encombrait l'espace. Pourtant, malgré tous mes efforts en direction de l'idée platonicienne (appelons-la ainsi) du dodécaèdre, ma tendance était d'en faire le tour pour en regarder les douze faces, et d'en observer la matérialité, sans conteste plus vulgaire. Telle était, si je puis m'exprimer ainsi, mon illusion ingénue de « comprendre » le dodécaèdre : changer de point de vue pour regarder ses différentes faces.

Cette tendance naturelle fut ensuite confortée par la lecture de nombreux livres écrits par des gens qui, en substance, tournaient autour des dodécaèdres (il serait ennuyeux d'en dresser le catalogue), et entre autres par un lumineux essai d'Umberto Eco (*L'Œuvre ouverte* : c'était en 1962, j'étais un adolescent) où je trouvai un texte assez intrigant consacré à la poétique de Joyce. Le point de vue y était même interprété comme une « métaphore épistémologique » (en l'occurrence, à travers le langage). Ou mieux, pour le dire avec Eco, c'était « comme si Joyce avait entrevu confusément la possibilité de saisir les choses selon plusieurs perspectives non traditionnelles, et avait progressivement appliqué ces "optiques" au langage » [1]. Ce qui m'intéressa le plus, dans la très habile analyse que Eco faisait de *Finnegans Wake*, c'était la réversibilité du Temps. En appliquant à ce type de narration la théorie d'un scientifique américain (Hans

1. Nous reprenons ici *L'Œuvre ouverte* d'Umberto Eco dans la traduction de Chantal Roux de Bézieux, parue aux éditions du Seuil en 1965 (collection Points-Seuil, n° 107) (N.d.T.).

Reichenbach, *Direction of Time*, 1956), Eco démontrait comment Joyce bouleverse la narration traditionnelle (et donc, il vaut la peine de le préciser, la lecture traditionnelle de la concaténation logique des événements) ; il faisait observer que « si dans le roman traditionnel, un événement A (par exemple le propos de Julien Sorel) est considéré de façon non équivoque comme la cause d'une série d'événements B, C, D (le meurtre de Mme de Rênal, le supplice de Julien, la douleur de Mathilde), c'est, en revanche, une tout autre situation qui se vérifie dans un livre comme *Finnegans Wake*. Selon la manière dont un mot est interprété, la situation envisagée dans les pages précédentes se trouve complètement modifiée ; de même, suivant la façon dont on interprète une allusion, l'identité d'un personnage est remise en question et déformée » (Umberto Eco, texte repris sous le titre *Le Poetiche di Joyce*, Bompiani, 1966, plusieurs éditions ayant suivi).

La chose, on ne peut le nier, ouvrait des perspectives épistémologiques attrayantes. Lire la réalité « à l'envers », en intervertissant l'axe de cause à effet, était alléchant. Et si, à la réversibilité du Temps (et du flux) joycien, on substitue la « réversibilité de l'Histoire », la lecture se fait encore plus intéressante et peut réserver des surprises, surtout quand les causes sont enveloppées de mystère. Pour cela, il n'est pas nécessaire de posséder la maîtrise du langage de Joyce, il suffit d'en avoir compris le principe. Du fait, aussi, que le « système » de Joyce a quelque chose qui rappelle un problème de logique très connu (passé ensuite dans le domaine des charades) qu'on peut énoncer en ces termes : un condamné se trouve dans une cellule où il y a deux portes, chacune d'elles est surveillée par un gardien. Une porte conduit à la mort, l'autre à la liberté. Un des gardiens ne dit que la vérité, l'autre ne dit que des mensonges. Le condamné ne sait quelle est la porte de la liberté ni quelle est celle de la mort, il ne sait pas non plus lequel des gardiens dit la vérité ni lequel est menteur. Il a toutefois la possibilité de se sauver, mais il ne peut poser qu'une seule question, à un seul des gardiens. Quelle question doit-il poser ? La solution est là. Pour se sauver, il doit demander à une des sentinelles quelle est la porte qui *selon son collègue* conduit à la liberté (ou à la mort), puis prendre l'autre porte que celle qui lui sera indiquée. En effet, s'il interpelle le gardien qui dit la vérité, celui-ci, en reportant sans la modifier l'indication fausse du collègue, lui indiquera la mauvaise porte. S'il interpelle le gardien menteur, celui-ci, en reportant de façon mensongère la vérité du collègue, lui indiquera aussi la mauvaise porte. En conclusion : il faut toujours changer de porte. Et morale de l'histoire : pour arriver à la vérité, il faut toujours renverser l'opinion d'une opinion. (Pour la deuxième fois déjà, cher Sofri, je donne des exemples qui, au vu de ta condition, pourraient te sembler de mauvais goût. Je te prie de m'en excuser.)

Naturellement la réversibilité de la « logique » joycienne bouleverse aussi ce qu'on appelle la « *dietrologia* [1] ». Dans le sens que ce qui est « derrière » est déjà là, *devant nous*. Supposons donc un instant que la lecture de ton cas judiciaire, à la lumière d'un Joyce expliqué par Eco, puisse servir d'« illumination » pour quelqu'un à propos de certaines pages récentes de l'histoire italienne. Ce quelqu'un, s'il réussit à faire un raisonnement de ce genre, est à sa façon un intellectuel, dans le sens qu'il utilise l'intellect et une méthodologie qui lui est propre. Et ce quelqu'un en vient évidemment à s'inquiéter, car cette affaire lui semble inquiétante. En effet, ton cas constitue l'exemple d'une sentence ressentie par

1. Le terme « *dietrologia* » a été inventé par les journalistes italiens pour désigner ironiquement la façon dont certains sociologues ou politologues se piquent de prédire… le passé. Cela désigne un discours creux, fait d'évidences, mais prétendant à la science (N.d.T.).

beaucoup de monde comme une injustice du fait qu'elle est dépourvue de preuves vérifiables, mais il assume aussi une dimension beaucoup plus vaste : c'est vraiment l'inquiétante étrangeté dont parlait Freud, le *unheimlich* non plus tiré d'un récit de Hoffmann, mais de l'Histoire. En somme, cela devient (je le regrette pour toi qui es là-bas, mais je le regrette aussi pour nous qui sommes ici) un signe obscur (dans une acception sémiologique) qui resémantise les pages précédentes. Et à ce point, ton aventure judiciaire ne serait plus tant l'effet d'une cause que, paradoxalement, la cause posthume d'un effet préventif. Ce qui revient à dire que ce n'est pas l'appétit qui justifie la nourriture avalée, mais la nourriture avalée qui justifie l'appétit.

Le discours est compliqué ? Bien sûr qu'il l'est. Mais toi et moi nous pouvons nous risquer sur ce terrain, car nous sommes deux intellectuels qui avons lu Joyce expliqué par un intellectuel comme Umberto Eco. Quelle est cependant la figure de l'intellectuel que propose aujourd'hui Umberto Eco dans l'article de *L'Espresso* dont je t'ai parlé ? Je t'en cite un extrait : « Si on les prend pour ce qu'ils savent dire (quand ils y réussissent), les intellectuels sont utiles à la société, mais seulement dans le long terme. À court terme ils ne peuvent être que des professionnels de la parole et de la recherche, capables d'administrer une école, d'assurer le service de presse d'un parti ou d'une entreprise, ou d'entonner la trompette de la révolution, mais ils n'assument pas leur fonction spécifique. Dire d'eux qu'ils travaillent dans le long terme signifie qu'ils assument leur fonction avant et après, mais jamais durant les événements. Un économiste ou un géographe pouvaient s'alarmer de la transformation des transports terrestres au moment où le bateau à vapeur entrait en scène, ils pouvaient analyser les avantages et les inconvénients futurs de cette transformation ; ou réaliser cent ans après une étude visant à démontrer comment cette invention avait révolutionné notre vie. Mais au moment où les compagnies de diligence tombaient en désuétude et où les premières locomotives s'arrêtaient en route, ils n'avaient rien à proposer, en tout cas beaucoup moins qu'un postillon ou qu'un mécanicien, et invoquer leur parole ailée serait revenu au même que reprocher à Platon de ne pas avoir proposé un remède contre la gastrite. »

Et là, cher Sofri, celui qui, en tant qu'intellectuel (mais, je l'ajoute, aussi en tant que *poète* et *écrivain*, mots que Eco n'emploie jamais), espérait utiliser la poétique de l'illumination joycienne comme clé épistémologique (sans parler de l'illumination rimbaldienne, en remontant plus en arrière, car le voyant explicité par Rimbaud a une longue histoire, comme je le dirai plus loin, dans le parcours de l'« intellectualité »), celui-là, disais-je, se sent fortement découragé. Quiconque aurait eu éventuellement l'intuition que dans *Finnegans Wake* « la fin du livre n'est pas déterminée par la manière dont il commence », et qu'on « peut dire que son commencement est déterminé par la manière dont il finit » (Eco, *op. cit.*), eh bien celui-là se trouve face à une sorte d'interdiction. Un tel principe ne sert à rien : il ne sert qu'à Joyce pour écrire son livre. Et, bien entendu, tout le monde n'est pas Joyce. Mais, comme le dit Gertrude Stein, « les petits artistes ont toutes les douleurs et le malheur des grands artistes, sauf qu'ils ne sont pas de grands artistes ». Si ce principe est vrai, il est vrai aussi que, avec leurs douleurs et leur malheur, tous les petits artistes, même s'ils ne sont pas capables d'écrire *Finnegans Wake*, peuvent au moins « l'écouter » et l'employer comme crochet pour forcer la porte de la réalité. En somme, ces petits artistes (ou, si l'on veut, « intellectuels ») n'ont pas à écrire une œuvre comme *Finnegans Wake*, mais ils peuvent en appliquer la *fonction cognitive*. C'est-à-dire chercher à parcourir le discours à l'envers, selon une logique qui n'obéit pas à une séquence conformiste de la réalité, et qui a un statut « agnitif », ce genre de connaissance, comme dit Thornton Wilder (« *Joyce and the Modern Novel* », d'ailleurs cité précisément par Eco dans son essai), qui est donnée « par l'intelligence lorsque celle-ci triomphe de la peur » (car la peur peut aussi couper les ailes).

En fin de compte, nous retrouvons ici le principe d'Hermann Broch lorsque celui-ci parle d'une « mission » que Eco, au demeurant, nie explicitement. Cette « mission du poétique » qui consent à l'artiste de dépasser la très sensée mais très limitée logique de Wittgenstein, laquelle semble au contraire adoptée comme modèle par Eco dans son article, et qui n'autorise à parler que de ce qu'on connaît. C'est précisément sur ce point que mon interprétation de l'intellectuel diverge de celle d'Eco, et franchement je préfère le « second » Wittgenstein affirmant que dans certaines choses une logique trop parfaite et lisse est dangereuse, car on risque de glisser comme sur une plaque de glace (« Donnez-moi le frottement et un terrain rugueux », je cite de mémoire). Le devoir de l'intellectuel (mais aussi, je voudrais insister, celui de l'artiste) est précisément celui-ci, cher

Adriano Sofri : reprocher à Platon de ne pas avoir inventé le remède contre la gastrite. C'est là sa « fonction » (je précise : sa fonction *sporadique*). Et c'est pour cela que, répondant il y a quelque temps dans le *Corriere della Sera* à un « Causeur » qui voulait faire des intellectuels une Institution[1], j'avais parlé de « fonction ». Sinon, que faisons-nous de Joyce ? Ou de Benjamin ? Ou de Rimbaud ? Nous les jetons ? Nous les gardons reliés en cuir dans nos précieuses bibliothèques ou nous les reléguons au grenier comme « objets désuets » ? Et que faire de Pasolini, notre Pasolini tant aimé, qui affirma *Je sais* sur tous les mystères de l'Italie ? De son savoir, nous savons qu'en fait il ne savait rien. Et pourtant il savait tout. L'avons-nous déjà oublié ? Moi, je ne l'ai pas oublié, et je crois que toi non plus, cher Sofri. Mais il n'est peut-être pas superflu de citer ce texte intitulé *Io so (Je sais)*, qui date de 1974 :

---

1. Voir la note de l'introduction au sujet de cette polémique avec Alberto Arbasino. La première intervention de Tabucchi a paru le 1er avril 1997 sous le titre : *Intellettuali copritevi, ora piovono le pietre* (Intellectuels, couvrez-vous, il pleut à présent des pierres). Arbasino répondait le lendemain dans *La Repubblica* sous le titre : *Ma non chiedeteci anche la predica* (Mais ne nous demandez pas aussi un sermon). Tabucchi écrivait alors un long texte, publié dans le *Corriere della Sera* du 7 avril, intitulé : *L'Albanese sono io* (L'Albanais, c'est moi) (N.d.T.).

« *Je sais, je sais les noms des responsables de ce qui sera appelé coup d'État (parce qu'il s'agit en réalité d'une série de coups d'État instituée en système de protection du Pouvoir).*

Je sais les noms des responsables du massacre de Milan en décembre 1969.

Je sais les noms des responsables des massacres de Brescia et de Bologne dans les premiers mois de 1974.

Je sais les noms du "sommet" qui a manœuvré aussi bien les vieux fascistes que les nouveaux fascistes et avec eux les inconnus [etc.].

Je sais, parce que je suis un intellectuel, un écrivain qui essaie de suivre tout ce qui se passe, de connaître tout ce qui s'écrit, d'imaginer tout ce qu'on ne sait pas ou qu'on tait, qui coordonne des faits même éloignés, qui met ensemble les morceaux désorganisés et fragmentaires d'un tableau politique entier et cohérent, qui rétablit la logique là où semblaient régner l'arbitraire, la folie et le mystère. »

Du reste, le fait que Pasolini, déjà dans les années soixante, entendait la figure de l'intellectuel d'une manière opposée à celle que cherchait à répandre la néo-avant-garde est démontré par son texte intitulé *Reportage sur Dieu*, que l'intelligentsia italienne semble avoir retiré de son panorama.

Mais je l'ai conservé. Il date de 1966, année des *Poetiche di Joyce* d'Umberto Eco, et parut en un petit volume de la maison d'édition Sadea (*Quindicinale di narrativa* n°7, 300 lires) qui se vendait dans les kiosques à journaux, où tu trouvais dans un « tas mélangé » (*mucchio selvaggio*, titre, au demeurant, d'une belle revue pour la jeunesse, de type intellectuel-créatif) des noms comme Hamsun, Traven, Caldwell. Dans ce texte, Pasolini dictait à l'aspirant journaliste d'un hebdomadaire *liberal* d'alors une sociologie de son cru sur le football, prétexte à une sociologie de son Italie, élaborée avec les instruments de l'écrivain (et de l'intellectuel) plutôt qu'avec ceux de la sociologie orthodoxe. Et là, se débarrassant de l'élégance d'Arbasino (« du reste sur ce point – habillement, langage – essaie d'obtenir les conseils d'Arbasino »), Pasolini disait entre autres : « Pour ce qui concerne donc le football comme jeu et comme *tifo*, tu en sais assez. Il te reste à faire quelques recherches sur les clubs de football ; j'entends par là des recherches à scandale. De celles à caractère sociologique, je m'en occuperai moi-même, à moins que tu veuilles te rassurer avec les conseils, par définition rassurants, d'Umberto Eco. »

Pasolini mourut jeune comme « celui qui au ciel est cher », destin ancien de certains poètes, et je ne sais s'il eut l'occasion de poursuivre son discours sociologique. Mais cette page demeure, et si quelque quotidien voulait la republier, il a à présent la référence bibliographique. Ce « savoir » de Pasolini n'appartient donc pas à la logique de Wittgenstein, mais à une connaissance conjecturale et créative, à ce « quelque chose qui n'est pas une connaissance intellectuelle et qui ne peut se traduire en celle-ci tout en la précédant et la soutenant, et sans laquelle cette connaissance demeurerait fluctuante, aussi grande que soit sa précision et sa clarté » (Maria Zambrano, *La Confesión : Género literario*, 1943). Il me semble que Maria Zambrano explicite parfaitement l'idée que la « connaissance » intellectuelle et la connaissance artistique peuvent être conjuguées en un mélange assez fécond, dans lequel les deux ingrédients ont besoin l'un de l'autre et où tout ingrédient, à lui seul, ne peut se révéler que moins efficace. Si la figure de l'intellectuel est comprise de cette manière, alors sa fonction cognitive (fût-ce une connaissance qui sème le trouble) peut être d'une grande vitalité. En ce sens, la phrase un peu potache proférée par Umberto Eco à un congrès parisien (en compagnie de Jacques Attali) intitulé : « Les intellectuels et les crises de notre siècle », et qu'il reporte sur *L'Espresso*, satisfait de sa formule lapidaire (« Faites attention à ceci que les intellectuels, par métier, créent les crises mais ne les résolvent pas »), eh bien cette phrase se révélera certainement inadaptée au rôle des intellectuels selon la figure que j'entends ici. Non seulement parce que je trouve hors de propos que les intellectuels veuillent résoudre les crises (ce qui conduirait à un long discours sur l'équivoque entre pensée et *praxis* que certaines avant-gardes historiques, en particulier le futurisme et le surréalisme, ont entretenue, et selon laquelle on en vient à demander à l'intellectuel parlant éventuellement des classes défavorisées qu'il accueille « par cohérence » des clochards dans sa maison), mais aussi parce que je crois que l'hypothétique fonction de l'intellectuel n'est pas tant de « créer » des crises que de *mettre en crise*. Par exemple, mettre en crise des choses ou des gens qui, eux, ne sont pas en crise et sont au contraire très convaincus de leur position.

Pour reprendre le fil peut-être un peu zigzaguant (je m'en rends compte) de ces réflexions à chaud, le « savoir » de Pasolini qui procède par des liaisons apparemment illogiques, comme celui de Joyce ou de Broch (et de tant d'autres), n'est bien sûr pas une chose du XXe siècle. Il appartient d'une certaine façon à un mystérieux fragment d'Anaximandre qui parle de l'ordre injuste du temps (« Là, d'où viennent les choses, elles y retournent, payant les unes aux autres le châtiment d'être venues selon l'ordre injuste du temps[1] »). Il appartient à Héraclite (que cite aussi Eco, et que de toute évidence il n'interprète pas à ma manière : mais le fait qu'il soit surnommé l'Obscur nous le consent) qui, au contraire de Pythagore (fauteur d'une Vérité entendue comme consonance harmonique avec les sphères de l'univers), situe le moment cognitif précisément dans la *divergence* et dans la *tension rétrograde* (« Les hommes ne comprennent pas de quelle façon ce qui diverge n'en converge pas moins avec soi-même, il y a un rapport de tension rétrograde, comme celui de l'arc et de la lyre[2] »). Ce même Héraclite pour qui le *Kosmos*, synonyme d'Ordre et de Beauté, est au contraire Chaos et Laideur (« Le plus bel ordre du monde n'est rien d'autre

---

1. L'édition française dans le volume de La Pléiade consacré aux *Présocratiques* est sensiblement différente : « Ce dont la génération procède pour les choses qui sont, est aussi ce vers quoi elles retournent sous l'effet de la corruption, selon la nécessité ; car elles se rendent mutuellement justice et réparent leurs injustices selon l'ordre du temps » (p. 39) (N.d.T.).
2. « Que tous les hommes ne savent pas cela et ne s'accordent pas sur cela, il s'en plaint en ces termes :
Ils ne savent pas comment le différent concorde avec lui-même,
Il y a une harmonie contre tendue comme pour l'arc et la lyre », *ibid.* (p. 158).

qu'une accumulation de déchets entassés par hasard[1] »). Et si quelqu'un pouvait entendre ainsi le *Kosmos* d'alors, imaginons un peu comment peut être lu le cosmos de la fin de Deuxième Millénaire.

Il est évident qu'Umberto Eco connaît ces choses mieux que moi, et il me semble lire dans son article une certaine exaspération, sincère de sa part, à l'égard de ceux qui, se prétendant intellectuels et condamnant pour cela le « bla-bla », donnent en réalité dans le « cancan » juste pour faire belle figure, en profitant avant tout des rubriques de leur journal. Le discours présente toutefois des risques : c'est un problème « fourchu », comme disait le baroque Baltasar Gracián dans son *Criticón*, qui écrivit un volumineux traité sur les acuités et les bifurcations. En fin de compte, quand Eco dit que l'intellectuel s'occupant des jeunes gens qui lancent des pierres depuis les passerelles d'autoroutes fait un travail inutile « parce que le salut ne vient pas de l'intellectuel mais des patrouilles de police ou des législateurs », il tient en substance un discours pythagoricien, dans lequel l'harmonie ne se réfère plus aux sphères de l'univers mais aux législateurs et aux patrouilles de police. Il est bien sûr

1. « Un détritus par le hasard abandonné : le plus bel ordre du monde », *ibid.* (p. 174).

sacro-saint, sur le plan de l'ordre social, que les patrouilles de police interviennent et qu'on punisse les coupables. Mais si un mari tue sa femme surprise avec un amant (ou *vice versa*, bien entendu), le fait a une justification compréhensible : la jalousie et l'honneur offensé (qui me semblent même être considérés comme des circonstances atténuantes dans notre code pénal). C'est donc un délit qui possède un « sens ». Mais l'acte gratuit par lequel Gide nous inquiéta avec Lafcadio dans la lointaine année 1914 (comme la littérature peut être prophétique !) est, lui, dépourvu de sens. Il possède sa logique formelle mais il n'a pas de logique substantielle. Et s'il est vrai qu'une juste condamnation par les juges est nécessaire, il est tout aussi vrai que celle-ci n'explique rien.

Si quelqu'un, par exemple, se rappelait la phrase du Christ selon laquelle seul peut lancer la première pierre celui qui est sans péché, il me semble plausible que ce quelqu'un (le poète, l'artiste, mais aussi une simple personne qui se pose des questions et assume donc la « fonction de l'intellectuel ») se demande pourquoi ces robustes garçons, élevés aux biscottes à la vitamine et dotés de voitures tout-terrain, se trouvent dépourvus de ce sens du péché (ou de la faute) qui pourrait leur interdire de jeter des pierres. Moi qui suis non croyant mais qui ai lu les Évangiles et qui ai beaucoup réfléchi à la phrase du Christ (une phrase que je trouve d'ailleurs assez « intellectuelle »), cela m'intéresse de comprendre pourquoi ils ont perdu à ce point le sens du péché qu'ils peuvent se transformer en anges du mal de la plus ordinaire quotidienneté. Si, en tant qu'écrivain (ou, tout aussi bien, en tant qu'intellectuel) qui se pose des questions et en même temps interroge la société qui l'entoure sur ce thème, ma fonction interrogative (et celle d'autrui) est réduite à l'acte de composer le numéro téléphonique de la gendarmerie, je vois alors dans cette fonction une attribution qui me prive de toute capacité d'« enquête » (une enquête qui, pour être bien clair, a une fonction différente de celle effectuée par les inspecteurs de police). En somme : si je suis d'accord avec Eco pour considérer que le devoir de l'intellectuel n'est pas « d'entonner la trompette de la révolution », je crois qu'il n'est pas non plus d'appeler simplement le 17.

Qu'en dis-tu, Adriano Sofri ? Voilà le problème que l'intelligentsia de notre pays n'a peut-être jamais sérieusement affronté, exception faite de certains cas isolés (et, soit dit en passant, assez détestés). Un problème qui, en revanche, me semble avoir été traité (et être encore en train de l'être) à un tout autre niveau en France. À titre d'exemple, je me permets de citer quelques extraits d'un intellectuel de la stature de Maurice Blanchot, qui aborde la question dans un petit livre récent[1] où il reprend un article désormais introuvable, paru dans la revue *Le Débat* en 1984, qui prenait son élan dans le contre-pied à une intervention de Lyotard (*Le Monde*, 8 octobre 1983) où, avec la désinvolture propre à ceux qui interrogent la réalité surtout à travers les mass media, le philosophe-sémiologue-sociologue français bien connu avait décrété la mort de l'intellectuel (il y a de cela à présent quelques décennies, on avait, il me semble, annoncé les funérailles du roman, depuis lors ressuscité : et quelque observateur malin suggéra à l'époque que si les célébrants enterraient ainsi le roman, c'est qu'ils n'étaient pas capables d'en écrire un).

« *Récemment, Lyotard publiait des pages utiles qu'il intitulait* Tombeau de l'intellectuel. *Mais l'artiste et l'écrivain, toujours en quête de leur tombeau, n'ont pas l'illusion de pouvoir jamais s'y reposer. Tombeau ? Le trouveraient-ils, comme jadis les croisés, selon Hegel, partirent pour libérer le*

1. Maurice Blanchot, *Les Intellectuels en question. Ébauche d'une réflexion*, éd. Fourbis, Paris, 1996.

Christ dans le sépulcre vénérable, alors qu'ils savaient bien, selon leur foi, que celui-ci était vide et qu'ils ne pourraient, en cas de victoire, que délivrer la sainteté du vide, oui, le trouveraient-ils, ils ne seraient pas au bout mais au commencement de leur peine, ayant pris conscience qu'il n'y aurait désœuvrement que dans la poursuite infinie des œuvres. En cela, je me demande si, par leur insuccès et leur détresse nécessaires, artistes et écrivains n'apportent pas aide et secours à ceux qu'on appelle des intellectuels et qu'on enterre peut-être prématurément[1] ». En substance, ce que Blanchot rappelle à Lyotard, c'est que l'acte de connaissance intellectuelle est aussi un acte créatif. Ou mieux, Blanchot se demande (et la question est vaguement rhétorique, car elle postule une réponse affirmative) dans quelle mesure l'artiste et l'écrivain, fût-ce avec leurs échecs et leurs misères (précision importante, car le fait artistique prévoit un échec, mais pour Blanchot il vaut plus par son intentionnalité que par ses résultats), n'apportent pas une aide fondamentale au « travail » de l'intellectuel. Il me semble donc comprendre que, une fois faites les réserves obligées, Blanchot exprime un concept de confiance dans la fonction de l'art et de la littérature comme

1. Maurice Blanchot, *op. cit.*

actes intellectifs, là où Lyotard, de façon surprenante (ou peut-être *pour cause*), ne prend même pas en considération l'écrivain et l'artiste comme figures de l'intellectuel, mutilant de fait celui-ci de sa meilleure part créative. En somme, il n'en saisit pas l'apport d'élan vital et par conséquent il l'enterre, il lui creuse la fosse (« *Un artiste, un écrivain, un philosophe n'est responsable que de cette unique question : qu'est-ce que la peinture, l'écriture, la pensée ?* »[1]).

Au bout du compte, on pourrait dire que la vision de Blanchot (peut-être de vague inspiration romantique, toutefois contrôlée par un certain « pessimisme de la raison ») exprime une position vitale ; celle de Lyotard, qui est substantiellement d'inspiration encyclopédique (même s'il s'agit d'une Encyclopédie « agitée » et capricieuse à la Lyotard, où les articles peuvent permuter), révèle une conception taxinomique et fonctionnelle de la culture, et exprime ainsi une position *funèbre*. Quelles considérations peut-on tirer de ces deux manières différentes de définir l'intellectuel ? Les voici. Alors que pour Blanchot, la fonction de l'intellectuel est de produire de la *nouveauté*, elle est pour Lyotard de transmettre le savoir, de le

1. J.-F. Lyotard, article déjà cité.

répandre et éventuellement de le gérer, en le maintenant tel quel et en le reconduisant comme norme. À travers tout cela, je ne veux certes pas nier l'importance de l'*Encyclopédie*, sur laquelle se fonde l'époque des Lumières et qui fut un instrument essentiel de diffusion de la culture philosophique, technique et scientifique. Mais, sans vouloir exagérer dans l'extrapolation, j'en déduirais qu'entre le Diderot directeur de l'*Encyclopédie* et le Diderot auteur de *Jacques le fataliste* (ou peut-être des *pamphlets* philosophiques qui, en 1749, lui coûtèrent la prison), Blanchot trouverait plus de *nouveauté* dans ce dernier.

Si ce n'est pas trop dire (mais il n'est pas vrai que le trop estropie quand il s'agit de parler clair), Lyotard dans son article attribue à la figure de l'intellectuel une fonction de manager, c'est-à-dire de fonctionnaire de la culture. Le pourquoi est simple : parce que le soupçon ne lui est jamais venu que Platon fût responsable de ne pas avoir inventé le remède contre la gastrite. S'il avait eu ce soupçon, il aurait lu de la poésie. Par exemple un *Adieu* d'Alexandre O'Neill, où un poète vaincu par la vie et par sa situation historique dédie ces vers à une femme qui l'abandonne : « *Tu ne pouvais rester sur cette chaise / où je passe ma journée bureaucratique / le jour-après-jour de la misère / qui monte aux yeux et arrive aux mains / aux sourires, à l'amour mal articulé / à la stupidité, au désespoir sans bouche / à la peur au garde-à-vous / à la gaieté somnambule, à la virgule maniaque / d'une manière fonctionnaire de vivre.* »

Mais ce discours mènerait trop loin, vers une sociologie de l'intellectuel comme gestionnaire de la culture dans une société comme la nôtre, et telle n'est pas mon intention, cher Adriano Sofri, alors laissons tomber ce sujet.

Puisque, au point où nous en sommes, la définition de l'intellectuel devient si difficile à cerner et à préciser, il me semble important d'essayer de dévider l'écheveau avec le « portrait » qu'en fournit Blanchot : « *Qu'en est-il des intellectuels ? Qui sont-ils ? Qui mérite de l'être ? Qui se sent disqualifié si on lui dit qu'il l'est ? Intellectuel ? Ce n'est pas le poète ni l'écrivain, ce n'est pas le philosophe ni l'historien, ce n'est pas le peintre ni le sculpteur, ce n'est pas le savant, fût-il enseignant. Il semble qu'on ne le soit pas tout le temps pas plus qu'on ne puisse l'être tout entier. C'est une part de nous-mêmes qui, non seulement nous détourne momentanément de notre tâche, mais nous retourne vers ce qui se fait dans le monde pour juger ou apprécier ce qui s'y fait. Autrement dit, l'intellectuel est d'autant plus proche de l'action en général et du pouvoir qu'il ne se mêle pas d'agir et qu'il n'exerce pas de pouvoir politique. Mais il ne s'en désintéresse pas. En retrait du politique, il ne s'en retire pas, il n'y prend point sa retraite, mais il essaie de maintenir cet espace de retrait et cet effort de retirement pour profiter de cette proximité qui l'éloigne afin de s'y installer (installation précaire), comme un guetteur qui n'est là que pour veiller, se maintenir en éveil, attendre par une attention active où s'exprime moins le souci de soi-même que le souci des autres.*

L'intellectuel ne serait alors qu'un simple citoyen? Ce serait déjà beaucoup. Un citoyen qui ne se contente pas de voter selon ses besoins et ses idées, mais qui, ayant voté, s'intéresse à ce qui résulte de cet acte unique et, tout en gardant la distance vis-à-vis de l'action nécessaire, réfléchit sur le sens de cette action et, tour à tour, parle et se tait. L'intellectuel n'est donc pas un spécialiste de l'intelligence : spécialiste de la non-spécialité? L'intelligence, cette adresse de l'esprit apte à faire croire qu'il en sait plus qu'il ne sait, ne fait pas l'intellectuel. L'intellectuel connaît ses limites, il accepte d'appartenir au royaume animal de l'esprit, mais il n'est pas crédule, il doute, il approuve quand il le faut, il n'acclame pas. C'est pourquoi il n'est pas l'homme de l'engagement, selon un vocabulaire malheureux qui a souvent jeté et à bon droit André Breton hors de lui. Ce qui ne veut pas dire qu'il ne prenne pas parti ; au contraire, ayant décidé selon la pensée qui lui semble avoir le plus d'importance, pensée des périls et pensée contre les périls, il est l'obstiné, l'endurant, car il n'est pas de plus fort courage que le courage de la pensée[1] ».

Poursuivant mon discours en zigzag, je reviens à l'article d'Eco : « Quand la maison brûle, l'intellectuel peut seulement essayer de se comporter en personne normale de bon sens, comme tout le monde, mais s'il considère qu'il a une mission spécifique il se trompe, et celui qui l'invoque est un hystérique qui a oublié le numéro de téléphone des pompiers. » Le « Voir sous la rubrique pompiers » est une suggestion d'une utilité très pratique qui peut résoudre immédiatement le problème, et qui repose évidemment sur une rassurante confiance en l'institution des pompiers. Mais qu'en est-il de ce « doute » qui peut être utile à son tour ? Si les pompiers étaient par exemple en grève ? S'ils étaient en compétition avec une institution analogue mais concurrente qui s'appellerait, disons, les vigiles du feu ? Ou s'ils étaient (hypothèse de

1. Maurice Blanchot, *op. cit.*

science-fiction humoristique) ceux de *Fahrenheit 451* de Bradbury-Truffaut (lesquels sont, étrange hasard, deux intellectuels) ? Quoi qu'il en soit, même quand les lances des pompiers sont efficaces, il reste le problème de ce qui a provoqué l'incendie. Suite à un court-circuit ? Négligence du locataire ? Causes inconnues ? Bien sûr, on se fiera à la compétence des enquêteurs, présumés efficaces et honnêtes. Mais dans l'éventualité où le résultat de l'enquête laisserait de raisonnables doutes, et en supposant qu'à l'origine de l'incendie il y ait, que sais-je, un engin explosif incendiaire, que doit-on faire ? Archiver ?

L'article d'Eco se conclut ainsi : « Que doit faire l'intellectuel si le maire de Milan refuse d'accueillir quatre Albanais ? C'est du temps perdu s'il lui rappelle quelques principes immortels, parce que si celui-ci ne les a pas intégrés à son âge, il ne changera pas d'idées en lisant un appel ; l'intellectuel sérieux, à ce point, devrait travailler à récrire les livres scolaires avec lesquels le petit-fils de ce maire étudiera plus tard, et c'est le maximum (et le mieux) qu'on puisse lui demander. » Nous ne nions pas que l'intellectuel avisé juge inutile de rééduquer le maire de Milan : peut-être lui semblerait-il plus opportun, dans le cas où les actes de ce maire ne lui plairaient pas, de manifester son opinion pour induire les électeurs à ne plus l'élire. Je trouve cependant assez optimiste l'idée, fût-elle noble et rousseauiste, d'un intellectuel qui investisse le sens de sa vie à suer sur du papier [1] pour que les petits-fils du maire de Milan deviennent meilleurs que leur grand-père quand ils seront grands. Sans compter que ces jeunes enfants pourraient aussi lui donner du fil à retordre, le pauvre abbé Parini [2] en sait quelque chose. Ce qui n'exclut évidemment pas qu'un intellectuel volontaire, à la vocation didactique, entreprenne cette bonne œuvre. *Allez-y*.

Pour ce qui me concerne, cher Adriano Sofri, aujourd'hui, maintenant, en tant qu'intellectuel (ou mieux en tant qu'écrivain, ce qui est différent, mais substantiellement égal) je veux vivre dans mon aujourd'hui et dans mon maintenant : dans l'Actuel. Je veux être en synchronie avec mon Temps, avec mon monde, avec la réalité que la Nature (ou le Hasard, ou Quelque-Chose d'autre)

---

1. L'expression « *carta sudata* », littéralement papier imbibé de sueur, est empruntée à Leopardi (N.d.T.).
2. Giuseppe Parini (1729-1799), enfant du peuple ordonné prêtre en 1754, fut une figure de l'illuminisme milanais. Dans son poème satirique *Il Giorno* (« Le Jour »), il décrit une journée typique de l'aristocratie frivole face à laquelle il tient le rôle de précepteur d'un jeune crétin fainéant (N.d.T.).

m'a concédé de vivre en cet instant précis du Temps. L'idée d'être diachronique à l'intention des petits-enfants de tous les maires d'Italie pour le moment où ils arriveront à l'âge de raison ne me séduit pas du tout. En somme : si un quelconque Platon, ou celui qui à sa place a provoqué une gastrite telle que même le Droit souffre de l'estomac, ressentait un peu d'acidité au pylore, et si toi aussi (ce qui me paraîtrait légitime) tu ressentais cette même acidité, que t'en dire d'intellectuel à intellectuel ? De prendre chaque matin une cuillerée de sulfate de magnésium durant vingt ans, et qu'on verra bien ce qui se passe ?

Adriano Sofri, il y a des murs faits de briques qui nous séparent, mais le Temps dans lequel nous vivons tous les deux est le même. Je suis ici, aujourd'hui, un jour d'avril 1997. C'est pour moi la chose la plus importante de toutes, parce que je sais qu'elle est irrépétable. Et c'est pour cela que je t'écris cette lettre : car si le verrou derrière lequel tu te trouves physiquement a été fermé par quelqu'un, je suis certain, en lisant ce que tu écris, que tu ne te résignes pas à verrouiller ton intellect, et qu'en tant qu'intellectuel tu l'utilises pour qu'on t'ouvre à nouveau ce verrou. Et moi non plus, qui suis dehors, je ne veux pas m'enfermer dans mon « dehors » avec un verrou. Le monde peut être une prison, et *Il mondo è una prigione* (1949) de Guglielmo Petroni (un écrivain, un intellectuel) en est la splendide description romanesque. C'est aussi un des plus beaux livres sur la Résistance. Voilà la *nouveauté* intellectuelle de ce livre, qui était une nouveauté à l'époque, et qui peut en être une aujourd'hui aussi. Bien sûr, la marge de mouvement est étroite et la pièce est un peu obscure. Ce n'est pas facile de faire de la lumière, et il faut, comme disait Montale, se contenter de la faible flamme d'une allumette. Mais c'est déjà quelque chose. L'important est d'essayer de l'allumer. Même une allumette de la marque Minerva.

Avec mon cordial salut,

ANTONIO TABUCCHI

« En attendant Ubu »
Conversation à Lisbonne

Bernard Comment. *Est-ce qu'il y a aujourd'hui, en Italie, un débat sur le rôle de l'intellectuel et de l'écrivain dans la société ?*

Antonio Tabucchi. J'ai l'impression qu'il s'agit là d'une question optimiste. Le rôle joué par Vittorini dans l'après-guerre face à un stalinien comme Togliatti, ou par Pasolini et Sciascia face à ce qu'ils appelaient « *il potere del Palazzo* », autrement dit la corruption au niveau de l'État, a été enterré lors des magnifiques années quatre-vingt, sous le rouleau compresseur du socialisme à la Craxi. Un modèle de vie s'est alors imposé, qui perdure aujourd'hui encore, entretenu par les continuateurs de cette pensée et de cette époque. Le « bacille » constitué par les intellectuels et les écrivains est en léthargie.

L'Italie est le pays où règne en souverain le mot d'esprit. Mais un mot d'esprit très différent de celui à la Voltaire, ou de celui, subversif, exercé par Karl Kraus, ou encore du *Witz* freudien, révélateur de l'Inconscient. Rien de tout cela. C'est un mot d'esprit fondé sur la rhétorique, qui se réduit à de simples plaisanteries ou reparties, et qui a pour fonction de vider le problème de son contenu pour le situer au niveau d'une forme brillante et inutile, en démonstration d'une intelligence qui tourne à vide. Il s'agit d'un funambulisme verbal qui rappelle la *causerie* de la cour de Louis XIV, celle des *Précieuses ridicules* ou des *Fourberies de Scapin*, pour ce qui est de la France, ou qui évoque, pour l'Italie, le masque d'Arlequin, si typique de notre culture et de la Commedia dell'arte et qui, ne l'oublions pas, était serviteur de deux patrons.

Il existe bien sûr de nombreux niveaux stylistiques de ce mot d'esprit, qui vont de la vulgarité travestie en snobisme raffiné jusqu'à l'exercice froid d'une intelligence géométrique en passant par la malice estudiantine. Ce qui inspire tout cela revient cependant au même, à savoir le cynisme. Récemment, un grand historien de la littérature italienne, Alberto Asor Rosa, a redimensionné la figure de Machiavel, considéré comme un des grands classiques de la littérature italienne, en réfléchissant au rôle que celui-ci a joué dans la formation d'une mentalité caractéristique de l'esprit italien. Cet écrivain-courtisan, médiocre en tout sauf dans l'astuce, a toujours joui d'une énorme sympathie, au point de devenir une référence, et j'irais plus loin qu'Asor Rosa en y voyant non seulement le responsable, mais le paradigme, et presque le code génétique, d'un certain esprit italien qui traverse les siècles. Je me demande donc si le cynisme dont je parle n'est pas, d'un point de vue anthropologique, une forme de survivance de la part du peuple italien. En somme, une sorte de « phénoménologie de l'esprit » d'un peuple qui, au cours des siècles, a dû s'adapter aux patrons les plus divers, des Lombards aux Anjou, des Bourbon aux Austro-Hongrois puis à Napoléon, des Savoie au fascisme et à la démocratie-chrétienne.

B. Comment. *Peut-être serait-il bon de donner un ou deux exemples de ce mot d'esprit au rabais dont tu parlais ?*

A. Tabucchi. Pour prendre le niveau du salon littéraire, on peut mentionner tel chroniqueur d'un grand quotidien progressiste, qui fréquente la jet-set ainsi que la noblesse brune de Rome, et qui traite d'un même ton pétillant aussi bien le problème des sans-papiers ou des Albanais que celui des pédophiles ou des tortures en Somalie, pour ensuite évoquer le trash, le punk, Gucci, les créateurs de mode italiens ou encore les cordes vocales de la Callas ou de la dernière cantatrice à la mode, fût-elle chauve. Malheureusement pour nous, ce chroniqueur est convaincu de posséder une grande finesse d'esprit.

Un autre exemple pourrait être celui du président du Parlement, une haute charge institutionnelle de la République, qui a déclaré que le 25 avril (date de la libération du pays après le fascisme et l'occupation nazie) devait être la fête de tous les Italiens, ceux qui libérèrent l'Italie et ceux dont l'Italie se libéra. Voilà un trait d'esprit qui me fait penser à Lewis Carroll, à moins qu'il ne s'agisse d'une manifestation humoristiquement freudienne du fameux « repentir » italien.

Mais je voudrais m'attarder sur une des reparties qui a connu un des plus grands succès de ces dernières années. Une certaine gauche juvénile et volontiers naïve, celle qui aime les mots d'ordre dans les cortèges, avait créé un slogan contre le pouvoir démocrate-chrétien, corrompu dans la dimension qu'on sait. Le slogan disait : « *Il potere logora* », « le pouvoir use ». Un jour, un inoxydable ministre démocrate-chrétien qui gérait le pouvoir depuis l'immédiat après-guerre, questionné par un journaliste qui lui citait cette phrase, répondit : « Le pouvoir use ceux qui ne l'ont pas. » Par un mot d'esprit exponentiel, c'est-à-dire par une réplique cynique, ce ministre déclarait candidement son cynisme, et bien sûr pulvérisait le slogan de l'adversaire. Ce mot d'esprit eut un grand retentissement en Italie, et fut cité, à gauche comme à droite, avec respect, et je dirais même avec la révérence qui, dans mon pays, est réservée aux astucieux. Je ne sais comment ce ministre, M. Andreotti, se débrouille avec le mot d'esprit, maintenant qu'il est jugé pour ses liens présumés avec la maffia. Peut-être devra-t-il changer de registre. Mais c'est son problème.

B. Comment. *Pour revenir au texte de* La Gastrite de Platon, *comment ont réagi les personnes que tu mettais directement en cause ? Par exemple, Umberto Eco ?*

A. Tabucchi. Au début, il a préféré adopter une attitude détachée et absente, presque sénatoriale. C'est une attitude admirable, car elle relève d'un esprit scientifique très éloigné des réactions de certains de ses ex-compagnons du défunt *Gruppo 63* qui, malgré leur âge déjà considérable, se laissent parfois aller à des réactions verbales vraiment lamentables[1]. Umberto Eco a donc écrit un article difficile à interpréter, sur le mode de la charade, évoquant Leopardi, le grand poète romantique italien, mais d'un ton ironique. Pour résumer brièvement, il disait que la postérité se souciait peu de savoir si Leopardi avait détesté les filles de Recanati, son village natal, et que l'unique personnage qui comptait pour nous, aujourd'hui, était Silvia, la seule demoiselle qui soit restée dans sa poésie. Je ne suis pas certain qu'il se référait à moi et à Sofri. Quoi qu'il en soit, celui-ci lui a répondu avec une ironie glaciale, je dirais presque : carcérale, en lui faisant observer qu'en effet, Leopardi détestait les filles de Recanati, mais qu'en compensation il aimait beaucoup celles de Pescara. Ce qui revient à dire qu'en effet, Flaubert détestait les filles de Croisset, mais qu'il admirait beaucoup celles de

1. « *Gruppo 63* », nom que s'était donné la nouvelle avant-garde italienne des années soixante formée par des intellectuels qui ont suivi des trajectoires fort différentes, et parmi lesquels on rappellera Alberto Arbasino, l'écrivain Nanni Balestrini (auteur d'un roman pamphlet d'extrême gauche, *Vogliamo tutto*, « Nous voulons tout », et qui a été poursuivi par la justice italienne pour ses présumées implications dans le terrorisme), ainsi que le critique littéraire Angelo Guglielmi qui, après avoir dirigé une chaîne de la télévision publique pendant les années du gouvernement de M. Craxi, est actuellement directeur d'un important institut cinématographique de l'État (l'Istituto Luce) (N.d.T.).

Rouen. Puis le même Umberto Eco a fait une intervention sérieuse dans la revue *Micromega*, où il compare le cas de Sofri à celui de Dreyfus, et demande une révision du procès, ce que je souhaite moi aussi. Je pense d'ailleurs que Umberto Eco pourrait y contribuer par ses moyens scientifiques, à savoir sa sémiologie, qui sera à coup sûr très utile pour découvrir de nouveaux éléments, de la même façon que l'historien Carlo Ginzburg a jugé le procès avec ses instruments, ceux de l'indice, dans son implacable livre-enquête *Le Juge et l'historien*. Du reste, il serait souhaitable que les grands sémiologues défassent l'image perfide qui commence à circuler selon laquelle la sémiologie serait un peu comme le guide indien qui vit dans un fort de visages pâles et qui avance dans la prairie en déchiffrant pour la cavalerie yankee les traces laissées par son peuple en résistance.

Mais la meilleure contribution au débat est venue de Sofri lui-même, d'abord par un article paru dans *Panorama* et intitulé : « *Caro Sofri, qui non c'è Moravia* », « Cher Sofri, ici il n'y a pas Moravia », une phrase sinistre et intimidatrice adressée à Sofri dans un palais de justice durant un des innombrables procès qu'il a subis. Dans cet article, Sofri, évoquant un article que Moravia avait écrit en sa faveur, rappelait comment la forme de connaissance de la littérature était une forme de connaissance différente de la déduction pragmatique, et comment elle pouvait donc déranger. À ce propos, il rappelait aussi le procès-verbal d'une autre audience, où un de mes récits de *L'Ange noir* (« Un papillon qui bat des ailes à New York peut-il provoquer un typhon à Pékin ? ») et *Une histoire simple* de Sciascia, par leur force métaphorique, avaient perturbé le juge en charge de l'affaire au point que nous y étions désignés comme des sorcières à envoyer au bûcher.

Mais le démenti à la théorie d'Umberto Eco selon laquelle l'intellectuel doit se contenter d'éduquer le petit-fils du maire de Milan ou appeler les pompiers quand la maison brûle est surtout venu d'une série d'articles et de déclarations que Sofri a faits sur la situation carcérale en Italie. Une situation qui avait déjà attiré son attention d'homme libre, vu qu'il avait publié, dans la collection qu'il dirige aux éditions Sellerio, le rapport sur les prisons italiennes établi par la Commission du Conseil de l'Europe pour la prévention de la torture et des traitements inhumains et dégradants dirigée par le juriste Antonio Cassese.

Pour qui ne le saurait pas, la situation des prisons italiennes est parmi les plus préoccupantes d'Europe. Malheureusement pour lui, Sofri a pu le constater et le vérifier en personne. Eh bien, le ministère de la Justice italien, qui jusque-là avait fait la sourde oreille, a promis des enquêtes et une réforme des conditions carcérales suite aux nombreuses et insistantes dénonciations de Sofri. Cela démontre que si celui-ci s'était contenté d'appeler le gardien pour nettoyer sa cellule, de la même façon qu'on appelle les pompiers quand la maison brûle, l'habitacle aurait peut-être été nettoyé, mais sans rien changer au fond du problème.

B. Comment. *Et en dehors des gens directement interpellés par ton texte, il y a eu d'autres réactions ?*

A. Tabucchi. Très peu. Un entrefilet dans *L'Unità*, le journal des ex-communistes, signé par un certain M. Gravagnuolo, directeur des pages dites culturelles et qui, avec un sifflet dans la bouche, décrétait la fin de ce qu'il appelait un match entre Umberto Eco et moi, parce qu'il considérait cette querelle sur les intellectuels comme « peu à la page ». Il faut dire au passage que ce quotidien, interprétant peut-être à sa façon ce que Boris Vian appelait « l'écume des jours », a mis de côté le vieux débat sur la pensée de son fondateur, le philosophe marxiste Antonio Gramsci (lequel a beaucoup réfléchi sur la fonction de l'intellectuel), pour se dédier à la doctrine de John Fitzgerald Kennedy. En revanche, je lis que la pensée de Gramsci est aujourd'hui très étudiée dans certaines universités américaines. C'est ce qu'on appelle l'échange culturel entre les peuples.

En dehors de cela, il y a eu une enquête strictement téléphonique d'un autre journal où l'on demandait à quelques écrivains et/ou intellectuels s'ils se considéraient comme engagés. Mot absolument inopportun, que je n'ai jamais utilisé, et qui provoque un dégoût immédiat en Italie, en raison notamment de son association à l'idée de communiste. Or aucun écrivain et/ou intellectuel italien ne veut aujourd'hui être communiste, du fait aussi qu'ils l'ont presque tous été dans le passé. Il faut comprendre que l'Italie est au fond un pays très catholique ; et le sens de la faute est un des grands moteurs du catholicisme, de même que le repentir.

Et pour finir, il y a eu une vignette assez spirituelle de Tullio Pericoli dans *La Repubblica* qui, à travers un tandem d'écrivains aussi spirituels que Fruttero et Lucentini, cherche à saisir l'esprit italien dont nous parlions, et ferme ainsi le cercle de ce drôle de débat. Et avec cela, Monsieur Ubu est à la porte.

Tant que durent les allumettes

Rentrant de Lisbonne où nous avions eu cet entretien, et relisant mes notes, j'eus le sentiment que le discours n'était pas arrivé à son terme, que ce serait un peu court de s'arrêter sur une image. Antonio Tabucchi, à qui j'en fis aussitôt part, convint qu'un petit supplément ne serait peut-être pas inopportun, et m'adressa le fax qui suit, une lettre dans la lettre qui reprenait in fine *Adriano Sofri pour interlocuteur. (B. C.)*

Cher Bernard,

Ton objection me paraît juste. J'ai donc pensé que pour prolonger ma réflexion sur la situation de l'intellectuel en Italie, je pouvais trouver une possible conclusion (même si elle est provisoire) en écrivant une nouvelle lettre à Sofri, de la même façon que j'avais ouvert ce débat avec un premier envoi. Je te remercie de l'occasion que tu m'offres ainsi de répéter en France ce que j'ai déjà écrit dans la presse italienne, à savoir que en condamnant à vingt ans de prison Sofri, Bompressi et Pietrostefani, uniquement sur le témoignage d'un repenti, la Justice italienne a violé de manière scandaleuse et alarmante les normes fondamentales du Droit des pays dits civilisés. Avec mon amitié, Antonio.

Cher Adriano Sofri,

Tu as consacré une de tes récentes chroniques dans l'hebdomadaire pour lequel tu écris régulièrement à l'histoire d'un certain Fiorentino Conti, un détenu de droit commun que tu as connu en prison au début des années soixante-dix quand tu étais un militant politique de l'extrême gauche. Tu racontes que ce condamné de droit commun acquit une conscience politique grâce à ta présence, et qu'après diverses péripéties qui, à sa sortie de prison, le conduisirent au terrorisme, il est mort dernièrement d'un infarctus dans un marché de Florence, en homme libre. Toi, en revanche, qui t'es toujours tenu bien loin du terrorisme, tu es à présent en prison. Tu définis cette histoire comme un « jeu du destin », et tu ajoutes que lorsque tu étais adolescent, tu croyais cela possible uniquement dans les romans russes. Un goût personnel me conduit à préférer certains baroques espagnols, et je dirais que ton histoire aurait très bien pu figurer dans ce que Cervantes appela des *Nou-*

velles exemplaires. Sauf que pour ce qui te concerne, il ne s'agit pas d'une nouvelle, mais d'une histoire vécue. Je ne peux nier que cela m'a perturbé. Par association d'idées, cela m'a fait venir en tête un de mes livres déjà éloigné dans le temps (1985), un recueil de nouvelles intitulé *Petits malentendus sans importance*. À sa publication, et en accord avec mon regretté ami Franco Occhetto qui était à l'époque directeur littéraire des éditions Feltrinelli, nous décidâmes de mettre en couverture un tableau de Cremonini représentant deux transats vus de dos sur une plage déserte. Dans l'un, on voyait une nuque (peut-être), tandis qu'une chemise était suspendue à l'autre. Il nous sembla que ce tableau représentait parfaitement ce que je cherchais à raconter confusément avec mes histoires : des rencontres manquées, des destins déchiffrables uniquement par éclairs et signaux, des absences et des solitudes, tous ces double jeux que la vie tisse pour nous.

Curieusement, il y a quelques semaines, l'hebdomadaire dans lequel tu écris a voulu faire allusion à ma poétique pas si originale du double et du malentendu pour s'abaisser au niveau assez peu noble de la pure diffamation à mon égard, en laissant entendre que je me dédoublais au point d'être absent à mes cours universitaires. J'ai répondu en portant plainte auprès du tribunal compétent. Cet hebdomadaire, *Panorama*, appartient à M. Berlusconi, et, comme tu le sais mieux que moi, c'est une publication de droite. Une droite puissante, fondée sur l'argent. Et il est vendu à des dizaines de milliers d'exemplaires. À mon avis, la stratégie de cet hebdomadaire vise à déstabiliser le système démocratique en pratiquant la pollution systématique de la vie publique et privée de notre pays. Toujours à mon avis, une telle stratégie rappelle celle du terrorisme : au lieu des pistolets, on utilise les ordures pour tirer dans les jambes [1] des personnes qui ne conviennent pas (« en frapper un pour en frapper cent », comme disait la propagande des Brigades Rouges).

Tu écris régulièrement dans ce magazine grâce à l'hospitalité que t'offre son directeur actuel, qui est un de tes amis de longue date, depuis l'époque où vous militiez tous deux dans la gauche dite révolutionnaire. Il a choisi une voie différente de la tienne, c'est évident. Les destins changent, mais l'amitié reste. Toi, tu es à présent en prison (un

1. « *Gambizzare* », littéralement « jambiser », désigne une tactique répandue à l'époque du terrorisme, et qui consistait à viser les jambes d'un coup de pistolet ou de mitraillette, en signe d'avertissement ou comme punition (N.d.T.).

« séquestré de l'État », pour utiliser ton expression), lui il dirige un hebdomadaire libre. Et cela me fait penser à l'histoire du « jeu du destin » que tu as publiée dans son magazine. Si tout cela relève du malentendu, il me semble que celui-là sort du plan existentiel pour devenir ontologique et presque métaphysique. Naturellement, je me sens fortement impliqué dans ce malentendu, non seulement parce que cet hebdomadaire m'a traité de la façon que je t'ai dite, mais surtout parce que, en tant qu'écrivain, je suis sensible aux malentendus que la vie nous offre.

Dans le livre déjà éloigné dans le temps que je citais, ma préface, qui était une forme de justification (les écrivains éprouvent souvent le besoin de se justifier, comme si l'observation de la vie donnait un sentiment de culpabilité), faisait référence aux écrivains baroques espagnols, qui *vivaient* les malentendus et les jeux du destin. Mais à présent, c'est plutôt Carlo Emilio Gadda qui me vient en tête, lui qui se sentit *vécu* par les malentendus et qui, à un journaliste lui demandant s'il pouvait être considéré comme un écrivain baroque, répondit : « Gadda n'est pas baroque ; c'est la vie qui est baroque. »

Au fond, la lettre que je t'écris est, à sa façon, emblématique de ce qu'être un intellectuel en Italie signifie, comme on me le demande pour une publication française. Le panorama « culturel » que je fournis aux lecteurs transalpins n'est probablement guère allègre. Je serai peut-être accusé de pessimisme. Mais je ne vois pas pourquoi je devrais les rassurer avec une vision encourageante. Qu'ils se reportent pour cela aux produits dans le vent, comme l'*italian food* ou l'*italian style*. Mes discours, eux, ne sont pas vraiment dans le vent.

Efforçons-nous toutefois de poursuivre notre chemin, fût-ce à vent contraire, de notre pas lent. Mais sans renoncer à l'obstination de gratter notre petite allumette, pour faire un peu de lumière. Tant que durent les allumettes.

Salut,

ANTONIO TABUCCHI
Août 1997

Lettre de prison

Cher Bernard,

C'est aujourd'hui, 7 octobre 1997, que je reçois d'Adriano Sofri cette réponse à ma lettre ouverte parue dans la revue Micromega. *Comme tu peux le voir, lui aussi parle d'équivoques, mais surtout il écrit, en Zola de lui-même, un* J'accuse *contre la classe dirigeante italienne qu'il me paraît opportun de publier à la fin de notre livre. J'ai son approbation pour cela. Merci. Et salut. Antonio.*

Cher Antonio Tabucchi,

Je n'ai pas répondu sinon de façon provisoire – une page accusant réception – à la lettre ouverte que tu as bien voulu me consacrer, et qui traitait de l'intelligence des écrivains et de ses usages. Je me méfie un peu, personnellement, de la question dans sa généralité. Je suis néanmoins très surpris de l'engagement à l'envers, pour ainsi dire, de certains intellectuels de notre âge, qui utilisent de toutes leurs forces leur signature pour s'en prendre aux pauvres, aux faibles, aux exclus. De tous les genres courants, les intellectuels à la Maramaldo[1] et leurs tours de ronde verbaux sont ceux dont on se passerait le plus volontiers. [...] Le hasard des circonstances me pousse à une sorte de réponse qui concerne l'intelligence publique en Italie, dans son rapport avec le passé et l'éventuel futur de notre pays. Tu me permettras de faire référence à la particularité de ma situation et à celle de ma condition morale.

J'oscille sans arrêt, par rapport à mon aventure judiciaire, entre une sensation de dégoût et d'insignifiance d'une part, et d'autre part une aspiration à en tirer quelque chose de plus consistant. Mets-toi à notre place : un grossier scénario nous contraint à des gestes qui peuvent mettre en cause notre vie même, des gestes que nous n'aurions jamais choisi d'accomplir si nous n'étions pas privés de toute liberté. Le désir de faire bouger les choses est compréhensible. C'est comme si quelqu'un, qu'on obligerait sous la violence à vider tout ce qu'il a dans ses poches, cherchait à jeter en cachette quelque pièce de monnaie par terre, pour

1. Dans la Renaissance italienne, Maramaldo était la figure du traître pour avoir achevé Francesco Ferrucci, un chevalier aventurier et défenseur des pauvres, alors que celui-ci était déjà blessé à mort. Sa victime lui avait lancé, dans un dernier cri : « Lâche, tu tues un homme mort » (N.d.T.).

le cas où quelque honnête nécessiteux venait à passer par là. Par exemple, nous avons longuement pensé dédier notre grève de la faim – qui ne sera pas démonstrative, ou à terme, mais, nous le croyons, poussée à outrance – à une cause digne. Supposons quelqu'un qui, en tant que condamné, se trouve adossé au mur, et qu'il puisse crier une phrase finale, pour la chronique mortuaire du lendemain sinon pour l'Histoire : je ne sais pas, quelque chose comme « Vive l'Italie », ou « Honte à vous ! ». Je n'arrive pas à me faire à l'idée de réserver cette dernière phrase à un quelconque magistrat déloyal de Milan, ni à une histoire vieillie avec nous, dont tous les chers drapeaux sont depuis longtemps remisés. Nous pouvons bien sûr rester silencieux : mais n'est-ce pas trop nous demander ? Je disais donc que nous avions longuement caressé avec un grand désir l'idée de dédier notre geste de prisonniers désarmés à la vie et à la liberté en Algérie. On nous en a dissuadés : « Ce serait un équivoque fâcheux ». À nous, il nous semblait que nous pouvions nous permettre le risque d'un équivoque, étant donné que nous ne pouvons rien nous permettre d'autre. Finalement, on parle à présent un peu plus de l'Algérie. Tôt ou tard on fera même quelque chose : peut-être avant que tous les enfants soient massacrés.

De sorte que, restant dans cet état d'esprit un peu ridicule et un peu inspiré, j'ai lu les plaisanteries échangées par le Pape avec les journalistes en vol pour le Brésil : sur le fait qu'il n'y a que l'Église qui demande pardon. Cela ne m'a pas plu, parce qu'il m'a semblé que cette observation diminuait la valeur du choix des « pardons » demandés au nom de l'Église, dont le dernier par l'Église française pour la complicité ou les omissions face au génocide des Juifs. Puis je me suis demandé comment d'autres institutions de notre temps, y compris celles qui ne revendiquent pas un fondement divin, ont traité la question du pardon. Naturellement, il y a l'« autocritique » des partis et des régimes communistes, qui est une tragique contrefaçon de la sincère déclaration de responsabilité et de faute, et de leurs racines. Une contrefaçon qui insinue son dard empoisonné de scorpion dans les mêmes actes d'accusation prononcés après la chute de ces régimes, bourrés de rhétorique aussi bien que d'auto-absolutions et de refoulements. Dans l'Afrique du Sud de Mandela, une « Commission pour la vérité et la réconciliation » s'est mise au travail depuis deux ans, présidée par l'archevêque Desmond Tutu, qui aspire explicitement à une voie intermédiaire entre « Nuremberg et l'effacement de la mémoire ». Cette commission a recueilli 5 500 demandes d'amnistie accompagnées de l'admission de leur responsabilité de la part des autorités et des fonctionnaires de l'ancien régime, y compris de certaines personnes qui ont des postes en vue dans le nouveau gouvernement. C'est probablement l'expérience la plus importante de l'aspiration d'une communauté à affronter *concrètement* son propre passé, en réunissant douloureusement la justice et la conciliation (il faudrait confronter une tentative comme celle-là, qui s'effectue à l'échelle d'une grande nation, avec les expériences méconnues de conciliation menées dans nos pays en alternative à la justice pénale). Dans l'Italie sortie du fascisme, tout cela n'a pas eu lieu, et c'est bien ça qui rend si insatisfaisant et artificiel l'actuel esprit de conciliation, fruit davantage du temps qui a passé – plus d'un demi siècle – et des opportunités du présent que du sens tragique d'une communauté brisée et blessée, traversée par la violence, par l'injustice et par le fanatisme. Qu'on compare – non pour juger, mais pour chercher à comprendre – l'Italie de l'amnistie de Togliatti [1] et de ses modes d'application avec la tentative sud-africaine. Peut-être le mérite italien d'un antifascisme et d'une résistance significatifs a-t-il lui-même fait que la confrontation

1. Palmiro Togliatti, secrétaire général du PCI, participe au gouvernement d'union nationale après la guerre.

avec le passé a été plus partial et réticent qu'en Allemagne. Peut-être qu'en fin de compte, parmi les pays européens, c'est l'Allemagne qui a été et est encore la plus capable de s'interroger sur son propre passé. C'est la difficulté même de parler au nom d'une « autre Allemagne » – à la différence de ce qui s'est passé dans l'Italie « antifasciste » ou dans la France de de Gaulle, où le compte de Vichy et de l'Algérie est aujourd'hui présenté avec les intérêts – a contraint et induit les hommes d'État à des mots et des gestes de demande de pardon explicites, et parfois forts et prenants, comme le fut celui de Brandt en Pologne.

Le point qui m'intéresse regarde l'État italien dans les années qui ont été celles de notre vie adulte. Très sommairement : l'État dont est prouvée une longue et vaste coresponsabilité dans des programmes subversifs, et dans le recours à des moyens illégaux et délictueux pour des intérêts de partis politiques et d'appareils séparés ; l'État qui s'est adapté à une symbiose – une hypocrite vie sans souci – avec la mafia et la grande criminalité, en les autorisant à une sorte d'extraterritorialité et de « second État » ; l'État qui a largement confisqué la chose publique en la traitant comme un patrimoine privé et au-dessus de tout contrôle, et qui a fait de la corruption une habitude capillaire et ignorée. La question est : cet État devait-il et doit-il « demander pardon » pour cela ? Les États ne sont pas – ne doivent pas être – des institutions éthiques, à la différence des Églises. Leur façon de demander pardon doit être moins solennelle et consacrée, et aussi un peu plus opportune que celle de l'Église, laquelle peut se concéder des siècles de réflexion sur les bûchers des Hussites et les massacres des Huguenots : l'État doit rendre des comptes aux citoyens vivants, et non aux générations qui suivront. La disgrâce civile de l'Italie se mesure sur ce point. On ne peut pas penser que la « demande de pardon » dans les communautés laïques soit hors de propos, ni qu'elle puisse éventuellement être substituée par les enquêtes et les verdicts judiciaires. [...] Il me semble que la classe politique italienne n'a pas su imaginer ce problème crucial. Si j'essaie de me souvenir, il n'y a eu que deux seules tentatives politiques dans cette direction, toutes deux invalidées par leur propre singularité et par leur compromission : l'appel de Cossiga [1] à la « grande confession », et le discours parlementaire de Craxi [2] sur le financement des partis,

1. Francesco Cossiga, ministre de l'Intérieur pendant les années de plomb, président de la République dans les années 80.
2. Bettino Craxi, président du PSI et Premier ministre dans les années 80. Principal accusé de l'enquête *Mani pulite*.

prononcé au-delà du temps réglementaire. [...] Si une Seconde République n'est pas advenue, et si elle est au contraire devenue toujours plus improbable, moins probable même qu'une quelconque République du Nord, on le doit à cela. Même la séparation psychologique et morale de tant de personnes du Nord aurait pu être freinée, pendant qu'il en était encore temps, davantage par un discours de vérité que par l'offre intermittente de refrains fédéralistes. Il y a une partie de la classe dirigeante qui est incapable de « demander pardon », et une autre qui est persuadée de pouvoir s'octroyer le rôle de l'accusation et d'être exonérée du problème. Cette trop visible incapacité est mise en évidence par la multiplication épidémique du repentir judiciaire, transformé d'un côté en catégorie morale, et de l'autre en catégorie syndicale.

Le fourmillement de noms et de situations de repentis est une bonne mesure de l'absence de repentir, de même que la mauvaise monnaie chasse la bonne. Quant à la corruption, l'explosion à couper le souffle de scandale du *tangentopoli* [1] aurait pu appeler toute une classe dirigeante – non seulement la traditionnelle gérontocratie, mais aussi la « géné-

1. Opération *Mani pulite* démarrée dans la périphérie de Milan, qui allait rendre célèbre le juge Di Pietro (N.d.T.).

ration de 68 » installée dans les professions libérales, dans l'information, dans la politique – à une rupture dans ses habitudes et à une réflexion sur elle-même, et, peut-être, à une conversion des modes privés et publiques de l'existence. Je ne parle pas de résurrections ni de palingénésie : je parle de choses plus petites et plus concrètes. Rien de tout cela n'est arrivé, on a au contraire assisté à une débandade universelle, avec la manifestation d'un tempérament peureux, la panique à l'idée de finir en prison et de perdre sa réputation, la promptitude à accuser le voisin : autant d'attitudes qui m'apparaissent comme plus graves encore que toutes les corruptions mises à jour par les enquêtes. Pour cela aussi les efforts les plus raisonnables et sérieux dans l'Italie publique sont faibles, et un esprit de partage s'est ainsi gâché : à moins de se contenter du drapeau tricolore soulevé en réaction aux trivialités de Bossi [1].

Il est impressionnant que le représentant du régime démocrate chrétien le plus conscient de sa légalité considérablement réduite, Aldo Moro, ait donné la dernière image publique de lui-même lors de sa harangue parlementaire où il parlait de la DC qui n'allait pas se laisser mettre en procès. La tragédie dont Moro fut ensuite victime aurait dû être

1. Umberto Bossi, chef de la Ligue du Nord.

l'occasion extrême pour le *mea culpa* d'une classe politique hébétée, un peu orpheline et un peu parricide, mais il n'en fut rien. Ils l'avaient déclaré faux en tant que séquestré, ils l'enterrèrent hâtivement, pleins de peur. Cossiga essaya de revenir là-dessus, justement, mais plus tard, et pour une raison personnelle, ce qui pouvait constituer un bon motif, mais il ne réussit pas à aller au bout. De sorte que cette classe dirigeante, épouvantée par la malédiction de Moro, fut enterrée à son tour, pas si longtemps après. Les autres dédouanements, à gauche comme à droite, se sont tous faits à bon marché.

Je n'ai entendu personne « demander pardon » pour les bombes du 25 avril 1969 et pour la fabrication de la « piste anarchiste », pour le massacre du 12 décembre et pour le défenestration de Pinelli, et ainsi de suite, tant est long le catalogue des dossiers des Commissions sur les massacres qui, chez nous, ne se revendiquent ni de la vérité, ni de la réconciliation. Personne ne se trouve en prison pour ces affaires. Alors que moi, innocent, j'y suis, en prison. En revanche, j'avais, et quelques autres avec moi, « demandé pardon » à ma façon avant qu'on ait l'idée de me faire passer pour le commanditaire d'un meurtre : j'avais réfléchi et parlé de nos erreurs et de notre responsabilité, et j'avais changé de vie. *Changé de vie*. J'étais content de certaines choses du passé, et j'en regrettais d'autres. Voilà, sommairement résumé, le carnaval auquel je participe, dans une position grotesque, pendu par les pieds. Mais il y a plus : je voudrais qu'on n'oublie pas que la violation de la loi par qui est investi d'une autorité publique est incomparablement plus grave que celle commise par des privés. C'est ici que se situe le scandale de fausses discussions comme celle qui concerne la remise de peine. Les délits commis par fanatisme politique ne sont pas justifiés pour autant. Mais ceux commis au nom de la loi, et à partir des chambres de l'Etat, sont bien plus graves. Or les responsables de l'illégalité d'État, et ceux qui, investis de l'autorité, les ont laissés faire, se sont servis des fautes des « terroristes » pour justifier et effacer les leurs ; ils ont renforcé la sévérité des lois et imposé leur propre impunité ; et après tant d'années, ils reprochent à quelques prisonniers peu nombreux, sans aucune force et souvent vraiment repentis, de ne pas avoir assez demandé pardon.

Cette Italie qui ne sait imaginer de demander pardon, mais qui sait l'exiger infiniment et rituellement de la part des vaincus et des faibles, aime renforcer sa propre rigueur : vécue sur l'auto-indulgence plénière et sur les rabais aux comptables de tous genres, elle se vante d'être l'ennemi implacable de toute remise de peine ou amnistie. Est-ce que quelqu'un a, au nom d'une magistrature déclarée corrompue, corruptible et complice au niveau de ses nombreuses instances de tous rangs, a demandé pardon aux générations de condamnés passées par les mains de ces juges ? Des condamnés pauvres, sans défense, inconnus, abandonnés ? Chaque procès jugé en Italie, chaque procès à juger, soulève désormais une légitime suspicion. N'est-ce pas ? Bien sûr que c'est le cas, et quelle est donc l'impudence qui pousse tant d'autorités à railler et à détester l'idée même des amnisties ?

C'est ainsi que, à partir de mon procès odieux et anachronique, je suis renvoyé à d'autres sujets. Il doit y avoir, dans une communauté qui veut rester telle, ou qui veut se réparer, la capacité d'une pause – un arrêt, une trêve, que sais-je – et d'un recommencement. La question que le Pape appelle le pardon (dans l'Assise de saint François on appelait cela « faire les paix ») est liée à tout ce qui me semble important dans l'endroit où je suis : de la prison à la justice, des séparatismes à la laideur des langages et des gestes, et aussi au rapport entre notre partie du monde et le reste de la planète. J'espère que tout cela ne t'aura pas paru dépourvu de liens avec les questions soulevées par ta lettre. Au revoir.

Adriano Sofri

Chronologie

En Italie, le passé a du mal à passer. Alors que l'on discute d'une solution politique qui, par une amnistie, ferait tourner la page des « années de plomb », le cas d'Adriano Sofri, de Giorgio Pietrostefani et d'Ovidio Bompressi - condamnés pour l'assassinat du commissaire Luigi Calabresi - ne cesse de provoquer réactions et manifestations. Un recours a été introduit auprès de la Cour européenne de justice. La semaine dernière, le philosophe Norberto Bobbio a lancé l'« appel des intellectuels ». Dans quelques jours, enfin, seront remises au président de la République Oscar Luigi Scalfaro les cent cinquante mille signatures recueillies pour obtenir qu'il « *intervienne par un acte de grâce* ». Les trois prisonniers annoncent une « *grève de la faim à outrance* ». Bompressi a été un militant de base de Lotta Continua, le plus important groupe d'extrême gauche des années soixante-dix. Pietrostefani en était un des dirigeants. Sofri le leader indiscuté. Après les « années de plomb », Adriano Sofri, écrivain et journaliste, ami de Pasolini et de Moravia, restera un personnage très en vue.

12 décembre 1969. L'attentat, à Milan, de la Banque de l'agriculture fait seize morts. On accuse les milieux anarchistes.

15 décembre 1969. Détenu et interrogé pendant trois jours à la préfecture de police de Milan, où se trouve le bureau de Luigi Calabresi, le cheminot anarchiste Pino Pinelli est trouvé mort en bas de l'immeuble. Selon la police, accablé, il se serait jeté par la fenêtre. Cette version est infirmée. Le journal *Lotta Continua* soutient qu'il a été assassiné et accuse Calabresi.

Novembre 1971. La veuve de Pinelli porte plainte pour homicide contre Calabresi. L'affaire sera classée sans suite.

15 mai 1972. De violents affrontements se déroulent à Pise entre les forces de police et les manifestants qui, à l'appel de Lotta Continua, veulent empêcher un meeting du parti néofasciste MSI. Un jeune anarchiste, Franco Serantini, meurt de ses blessures.

17 mai 1972. Luigi Calabresi est tué à Milan, via Cherubini. Le lendemain, Lotta Continua définit l'assassinat comme « *un acte dans lequel les exploités reconnaissent leur propre volonté de justice* ».

Entre 1972 et 1980, divers suspects, d'extrême gauche et d'extrême droite, sont inculpés, puis disculpés.

28 juillet 1988. Sofri, Pietrostefani et Bompressi sont arrêtés. Sur la foi des déclarations du « repenti » Leonardo Marino – qui reconnaît avoir été le chauffeur de la Fiat 125 utilisée pour l'attentat –, les deux premiers sont accusés d'avoir commandité le meurtre du commissaire, et le troisième de l'avoir matériellement exécuté. Trois mois plus tard, ils sont remis en liberté.

2 mai 1990. La cour d'assises de Milan condamne Sofri et ses camarades à vingt-deux ans de prison, Marino à onze ans. Ce premier procès – il y en aura sept – est annulé en cassation.

21 décembre 1993. Un verdict d'acquittement est prononcé. Cassé pour vice de forme.

11 novembre 1995. Sentence « définitive » : Marino est acquitté pour prescription, Sofri, Pietrostefani et Bompressi condamnés à vingt-deux ans.

24 janvier 1997. Ils se présentent à la prison de Pise.

Chronologie établie par Robert Maggiori
et publiée dans Libération *le 9 octobre 1997.*

Repères biographiques

Né à Pise en septembre 1943.

La tradition anarchiste de la Toscane maritime et les récits de son grand-père sur la période de la Seconde Guerre mondiale marquent son enfance.

Après l'obtention de son baccalauréat, encore indécis sur son avenir, il séjourne un an à la Cité universitaire internationale à Paris, fréquentant davantage les petites salles de cinéma que les amphithéâtres. Au moment de prendre le train qui le ramène en Italie, il achète pour le voyage, dans un kiosque de la gare de Lyon, le *Bureau de tabac* d'un auteur alors totalement inconnu, Alvaro de Campos, *alias* Fernando Pessoa. Bouleversé par cette lecture, le jeune Antonio Tabucchi choisit d'étudier la langue et la littérature portugaises.

Un premier roman paraît en 1975, *Piazza d'Italia*, la mosaïque d'un siècle d'histoire d'Italie à travers le prisme d'une famille libertaire toscane, pour la composition de laquelle l'auteur déclare s'être inspiré des *Leçons de montage* d'Eisenstein.

Écrivain italien, Antonio Tabucchi a toutefois écrit un de ses livres, *Requiem* (sous-titré « Une hallucination »), en portugais.

Il enseigne actuellement la littérature portugaise à l'université de Sienne.

Avec sa femme, Marie José de Lancastre, il s'est occupé de l'édition de l'œuvre de Pessoa en Italie.

En 1987, Antonio Tabucchi a obtenu le Prix Médicis Étranger pour *Nocturne indien*, roman porté à l'écran en 1989 par Alain Corneau. De même que *Le Fil de l'horizon* l'a été par le réalisateur portugais Fernando Lopes (en 1993), et *Pereira prétend* par le cinéaste italien Roberto Faenza (en 1995, avec Marcello Mastroianni dans le rôle titre). En 1998, sortira l'adaptation de *Requiem* par Alain Tanner.

Les textes d'Antonio Tabucchi ont aussi fait l'objet de nombreuses adaptations théâtrales, notamment en France par Daniel Zerki, Yvon Chaix ou Didier Bezace.

Avec *Pereira prétend*, Antonio Tabucchi a obtenu deux des prix littéraires les plus prestigieux d'Italie, le Viareggio-Repaci et le Campiello, ainsi que le Prix européen Jean-Monnet en France.

Repères bibliographiques

- *Piazza d'Italia*, 1975.
- *Petit navire*, 1978[1].
- *Le Jeu de l'envers*, 1981 et 1988.
- *Femme de Porto Pim et autres histoires*, 1983.
- *Nocturne indien*, 1984.
- *Petits malentendus sans importance*, 1985.
- *Le Fil de l'horizon*, 1986.
- *Les Oiseaux de Fra Angelico*, 1987.
- *Dialogues manqués*, 1988.
- *Une malle pleine de gens*, 1990.
- *L'Ange noir*, 1991.
- *Requiem*, 1992.
- *Rêves de rêves*, 1992.
- *Les Trois Derniers Jours de Fernando Pessoa*, 1994[2].
- *Pereira prétend*, 1994.
- *La Tête perdue de Damasceno Monteiro*, Bourgois, 1997.

1. Non traduit en français, épuisé depuis longtemps en Italie.
2. Paru aux éditions du Seuil. Tous les autres titres d'Antonio Tabucchi ont paru en traduction française aux éditions Christian Bourgois, certains ont été repris en poche dans la collection 10/18. Les dates ici indiquées sont celles de l'édition en langue originale. Signalons aussi la publication, par Christian Bourgois, de deux volumes compacts : *Récits* et *Romans*.

Mille et une nuits propose des chefs-d'œuvre pour le temps d'une attente, d'un voyage, d'une insomnie…

Derniers titres parus chez le même éditeur

137. Bernard Comment, *L'Ongle noir.* 138. Ambrose Bierce, *Le Club des parenticides.* 139. Lucien de Samosate, *Sectes à vendre.* 140. Edith Wharton, *Les Yeux.* 141. Baltasar Gracián, *L'Homme de cour.* 142. Nicolas de Chamfort, *Maximes et Pensées.* 143. Dominique Méda/Juliet Schor, *Travail, une révolution à venir.* 144. Émile Zola, *Comment on se marie.* 145. Aristote, *Poétique.* 146. Alessandro Baricco, *Novecento : pianiste.* 147. Honoré de Balzac, *Traité des excitants modernes.* 148. Herman Melville, *Les Îles enchantées.* 149. Arthur Koestler, *Les Militants.* 151. Jack London, *Construire un feu.* 152. Émile Zola, *Comment on meurt.* 153. Alexandre Pouchkine, *Le Coup de pistolet.* 154. Ferenc Karinthy, *L'Âge d'or.* 155. Jules Verne, *Une fantaisie du docteur Ox.* 156. Confucius, *Entretiens du Maître avec ses disciples.* 157. Edgar Morin/ Christoph Wulf, *Planète : l'aventure inconnue.* 158. Jean-Bernard Pouy, *Plein tarif.* 159. Chester Himes, *Une messe en prison.* 160. Cesare Battisti, *Nouvel an, nouvelle vie.* 161. Jean Ray, *Le Psautier de Mayence.* 162. Lovecraft, *Les Rats dans les murs.* 163. Dashiell Hammett, *Le Meurtre de Farewell.* 164. Gérard de Nerval, *Aurélia.* 165. Oscar Wilde, *Le Fantôme des Canterville.* 166. Hanns-Erich Kaminski, *Céline en chemise brune.* 167. Susanna Tamaro, *Rien à cirer.* 168. Dan Franck, *Tabac.* 169. Ernesto Che Guevara, *Voyage à motocyclette.* 170. Jacques Testart/Jens Reich, *Pour une éthique planétaire.* 171. Rainer Maria Rilke, *Lettres à un jeune poète.* 172. Mikhaïl Boulgakov, *Morphine.* 173. Georg Büchner, *Lenz.* 174. Will Self, *Un roc de crack gros comme le Ritz.* 175. Jules Barbey d'Aurevilly, *Une histoire sans nom.* 176. Carlo Collodi, *Les Aventures de Pinocchio.* 177. Antonio Tabucchi, *La Gastrite de Platon.* 178. Ernest Renan, *Qu'est-ce qu'une nation ?* 179. William Burroughs, *Lettres du Yage.* 180. Thomas Edward Lawrence, *Guérilla dans le désert.* 181. Eugène Sue, *Kernok le Pirate.* 182. Karl Marx, *Le 18 brumaire de Louis Bonaparte.* 183. Claude Lanzmann, *Un vivant qui passe.*

Pour chaque titre, le texte intégral, une postface, la vie de l'auteur et une bibliographie.

Achevé d'imprimer en octobre 1997,
sur papier recyclé Ricarta-Pigna par G. Canale & C. SpA (Turin, Italie)